Walt Disney

*Un moment de te*

# Bam

HACHETTE
*Jeunesse*

Adaptation de l'image Van Gool-Lefevre-Loiseau

Conception de couverture : Guy Gilbert
Raconté par Evelyne Lallemand

Connaissez-vous la bonne nouvelle?
Dans la forêt, un petit prince est né!
C'est Bambi, le faon si joli.

« Arrête de bâiller! lui dit le lapin Pan-Pan.
Viens plutôt te promener avec moi. »

Bambi accepte. Mais comme il a du mal à faire ses premiers pas ! Heureusement, ses amis sont là pour l'encourager !

Mais tout à coup... plic! ploc!
Il pleut et Bambi est tout étonné.

Quand la pluie
cesse...:
quelle surprise!
Dans la mare

Bambi découvre...
son petit frère.
« Mais c'est toi!
dit Pan-Pan en riant.

– Et lui, c'est moi aussi ? » demande Bambi.
Pan-Pan rit de plus belle car ce faon-là
est en réalité la jolie biche Faline.

Faline coquine !
Faline câline !

Elle couvre Bambi de bisous
qui chatouillent !

Comme le temps passe vite!
Voici l'hiver et ses surprises glacées!

Voici également le roi
des bois, le grand cerf
qui dit à Bambi :
« Petit prince, un jour,
toi aussi tu seras le roi! »

Le printemps est revenu. Comme Bambi
a grandi ! Mais il n'est pas le seul...

Faline a également poussé en taille et en... beauté! Elle est même si belle que Bambi décide de l'épouser.

Et c'est ainsi qu'un
jour il devient papa
de deux petits princes !

Le grand cerf apparaît
et lui dit :
« Maintenant, tu es
le roi des bois ! »

Imprimé en France par I.M.E. - 25-Baume-les-Dames
Dépôt légal n° 1413 - Janvier 1991
46.02.0487.04
ISBN 2.73.330487.9
Loi n° 49-956 du 16 juillet 1949
sur les publications destinées à la jeunesse - dépôt 01.91